BIBLIOTHEEK BREDA
Centrale Bibliotheek
Molenstraat 6
4811 GS Breda

Colofon

ISBN 90-85672-62-7

Eerste druk, september 2007

Tekst en illustraties: Daan Remmerts de Vries
Vormgeving: Studio FC Klap

Dit boek is een co-productie van Teleac/NOT en Uitgeverij FC Klap.

Moffel en Piertje

De kloffel van Moffel

Kijk, daar heb je Arie.

En kijk, daar heb je Piertje ook.

Ja, Arie en Piertje zijn best vrolijk.
En Moffel? Is Moffel ook vrolijk?

Arie en Piertje lopen lachend weg.
Maar Moffel blijft achter, hartstikke alleen!
Nee, Moffel is niet zo vrolijk vanmorgen.
Die Arie pakt zijn Piertje af.
Daar moet hij wat aan doen...

En dus gaat Moffel iets uitvinden.

Moffel maakt een machine,
en die machine is bedoeld voor Arie.

De machine is klaar!
Moffel sleept hem naar buiten.

'Moet je zien!' zegt Moffel tegen
Arie en Piertje. 'Dit heb ik uitgevonden!'
'Wat is het?' vraagt Arie.
'Een kloffel,' zegt Moffel.
'Een wát?' vragen Arie en Piertje.

'Een kloffel,' zegt Moffel.
'En Arie mag hem als eerste proberen.'
Arie gaat meteen zitten. 'Lekker,' zegt hij.
'Het is een ruggenkrabmachine.'
Moffel drukt gauw op een knopje.

Maar… er gebeurt niks.
'Lollig hoor,' zegt Arie. 'Is dat alles?'

'Nee!' roept Moffel, 'Dát was niet de bedoeling! Vooruit Arie, opzij.'
Moffel klimt op zijn kloffel.

En... hij wordt weggekloffeld!

'Denk jij dat dít de bedoeling was?' vraagt Piertje.
'Geen idee,' zegt Arie. 'Kom, we gaan weer spelen.'

'Maar Arie,' zegt Piertje, 'Moffel deed wel een beetje vreemd. Vond je niet?'
Arie haalt zijn schouders op. 'Vooral niet op letten,' zegt hij.
'Ik hoop wel dat hij zacht is neergekomen,' zegt Piertje.

Gelukkig! Daar komt Moffel alweer aanlopen.

'Mof!' roept Piertje opgelucht. 'Dat was knap van je!
Je vlóóg!'
'O ja?' vraagt Moffel. 'Vond jij dat knap?'
'Erg knap,' zegt Piertje, en ze kijkt Moffel aan.

Dat laat Arie niet op zich zitten.
'Dat kan ik anders véél beter!' roept hij.
'Let op. Piertje! Nú zul je eens wat zien!'
Hij springt op de kloffel van Moffel.

En ja hoor! Daar gaat Arie!

'Hèhè,' zegt Moffel. 'Die is opgehoepeld.
En ik vind dat je verder alleen nog maar
met mij moet spelen, Pier.'

'Ach Mof,' zegt Piertje.'We kunnen toch ook met z'n drieën spelen? Je hoeft toch helemaal niet zo jaloers te zijn?'
'Jaloers?' vraagt Moffel. 'Ikke?'

'Inderdaad ja,' zegt Piertje. 'Rare jaloerse mol! Ik had je heus wel door! Kom hier, dan krijg je een knoffel.'
'Een wát?' vraagt Moffel.
'Een knoffel,' zegt Piertje. 'Dat is míjn nieuwe uitvinding!'

Ja, van zó'n mooie uitvinding word je weer echt vrolijk.